劉福春・李怡 主編

民國文學珍稀文獻集成

第一輯

新詩舊集影印叢編　第40冊

【謝采江卷】

荒山野唱

北京：海音書局 1926 年 11 月版

謝采江 著

不快意之歌

北京：海音書局 1928 年 12 月版

謝采江 著

花木蘭文化出版社

國家圖書館出版品預行編目資料

荒山野唱／不快意之歌／謝采江　著 -- 初版 -- 新北市：花木蘭文化出版社，2016
〔民 105〕
142 面／30 面；19 ×26 公分
（民國文學珍稀文獻集成・第一輯・新詩舊集影印叢編　第 40 冊）
ISBN：978-986-404-622-5（套書精裝）
831.8　　105002931

ISBN-978-986-404-622-5
9789864046225

民國文學珍稀文獻集成・第一輯・新詩舊集影印叢編（1-50 冊）
第 40 冊

荒山野唱
不快意之歌

著　者　謝采江
主　編　劉福春、李怡
企　劃　首都師範大學中國詩歌研究中心
北京師範大學民國歷史文化與文學研究中心
（臺灣）政治大學民國歷史文化與文學研究中心
總編輯　杜潔祥
副總編輯　楊嘉樂
編　輯　許郁翎
出　版　花木蘭文化出版社
社　長　高小娟
聯絡地址　235 新北市中和區中安街七二號十三樓
電話：02-2923-1455／傳真：02-2923-1452
網　址　http://www.huamulan.tw　信箱　hml 810518@gmail.com
印　刷　普羅文化出版廣告事業
初　版　2016 年 4 月
定　價　第一輯 1-50 冊（精裝）新台幣 120,000 元

荒山野唱

謝采江 著

海音書局（北京）一九二六年十一月出版。原書三十二開。

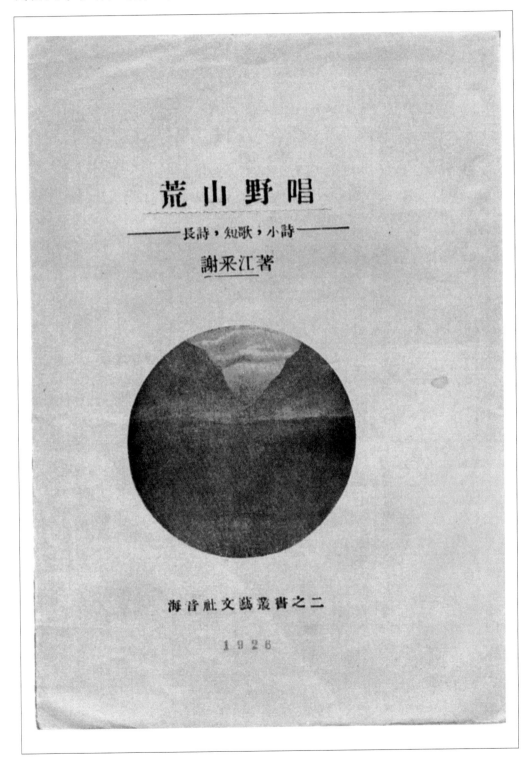

荒山野唱

——長詩，短歌，小詩——

謝采江著

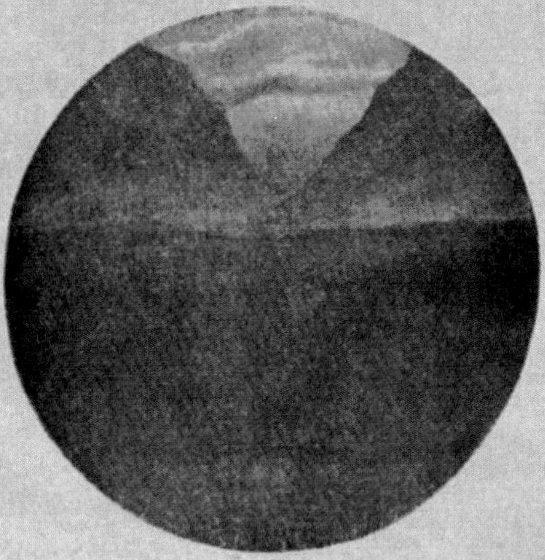

海音社文藝叢書之二

1926

謝采江著詩歌第三種

海音社文藝
叢書之二

荒山野唱

北京海音書局印行

荒山野唱

荒山野唱目次

望雲歌

眞誠的讀者！
要把這詩裡苦樂的影子
向你的生活中去印證！

題詞

也許是我的神經異常啊——
　繁華熱鬧的都市，
　　我只見幾堆墳墓；
　與高彩烈的男女，
　　我只見幾具行尸；
　寂寞喲，苦悶喲，
迷困在蒼茫的荒山裡，
　唯有啞聲的野唱了！

—1—

引論

文學原是起於人生的不滿足，人是土地的兒子，要靠環境而生存；環境供人之享用，所以常常束縛人的自由，人常常受環境的制裁。藝術是人類精神的剩餘品，人的藝術的成功，也要看人的支配環境的能力的大小。這所謂支配環境也無非是想法除掉這層束縛，要想除掉這層束縛，便是與環境奮鬥，不但是奮鬥，並且還要時時刻刻奮鬥；因爲這束縛是層層不斷的，是時時刻刻如人的影兒跟着人的。受不了這束縛的人便要出軌，逃走或奔放；所以古今中外的大文豪，多是漂泊他鄉，流離國外，不容於家，不容於國的；中國的有長流夜郎的李白，行吟澤畔的屈原；英國的則如雪萊的逃走，拜崙的去國，再如法國雨果放逐於荒島十六年。在這擺脫束縛生涯的人類史上，驚天動地的大天才不知出了多少，眞是『亂世多英雄！』這是一種人。還有一種人，如法國福羅貝爾說的：『才能即忍耐』。無論你的生活多苦，環境多壞，也要忍上一忍，「忍」，並非怯懦，不敢出頭，乃是含蓄內心之潛力，去與人生奮鬥的，嚐一嚐人生的異味，成為強烈的生命的熱力的追求者，去深味人生。英國王爾德在他的獄中記中說：『凡有悲哀的地方，都是神聖的地方。』這是因為悲哀中易於參透人生的奧義的原故。所以這種人在有悲哀的地方早已失掉了一般人所謂悲哀的意味，人們以為是個監獄，在他倒許是個樂園，是個天國了。采江先生便是這後一派的人，是在悲哀寂寞之途中去探路的人，他能浸在淚海裏聽見世人沒有聽見的話和世人未曾知道的事。他在野火第七首中寫着：

朋友們！
　快快浸在淚海裏去吧，
那里
　可以聽見世人沒有聽見的話，

可以知道世人未曾知道的事。

讀了「淡容素服，不笑不語。」兩句，作者如立在我們面前；「擦着眼淚，對着影兒」八個字之中，可以窺見作者整個的人格。「望着天涯，指着海上。」作者的風采，流露其中，尤其是「望着天涯」句，完全湧現出作者的形影，簡直是作者的寫真，采江先生，一人獨步起來，在樓上，走來走去，仰着頭，帶着眼鏡，如望天然。他好獨自站着，總是「遐想」，然而他也常混在大衆之中談笑，總的人不住的笑，走至屋門，便知道采江先生在這裏呢。有時自己去了，沒有采江先生在，便覺得寂寞了許多。他常去的地方，隔一天不去或晚去，人們便都說：「今天采江沒有來，」「今天采江來晚咧。」

我們差不多的人到了許多人之中，有的插不進嘴去，不能說話；或只能說幾句，聽着人家熱鬧；有的人呢？說起話來便是幫腔，好似紅葉隨波，自己把握不住自己，只是鬧得精神成了流水落花。采江先生對人卻不淡泊，也不造作，只覺得他的談笑之間，態度很沉靜；他無論對誰全能交談，並且還能談到自己所願意說的話。

能把握得住自己的人，或者說是真正有覺悟的人哪，無論那一種生活中，都能捉住刹那間的真象，不怕改變生活。其實真正心靈不死的人，在那一種生活裏他也不失故步，總是拿着照妖鏡去找妖精，而自己不變成妖精；不，自己總是冒險的旅行家！所以采江先生說：「生活就是表現，要表現得痛痛快快；就是享受，苦樂都要享受；時時事事都是生活，絕沒有可以當手段的一段，一當手段，便空虛了。」他是講「傻子主義」過不自欺的生活的，他是能執着生活，當前努力的，是守着一生沒有半件事是第二次遇見的有趣的人生哲學的。采江先生，能在沉寂黑暗的曠野中，看見明滅無定的火焰的野火，能懷着送日的夜間的淒涼，讓日快到西半球去的偉大的人類的同情心；他有大洋中危波擁日的心情，他也有夜半醒來聽見壺中水聲嘶嘶，知道火還沒有滅的充滿希望的心，引笑了孩子說着夢的話。他好作甜美不醒的夢兒，他的眼淚，澆不滅他的情火；他的情火，燒不乾他的眼淚；所以他才能寫出將永遠永遠的遺留到人間的血紅字的夢痕。他能把淚在胸中溶化，他想放大聲哭不敢流出淚來，他作夢醒來，睜眼看看傷痕，還撫摩着笑，他有荊棘刺破了脚心的苦悶。夢痕中說：「我不敢放步走了，荊棘已刺破了脚心。」及本集中的我的路程：

昏黑的夜間，
兩旁山峯上——虎嘯猿啼，
我渾身戰慄——
望着前邊明滅的星兒，
在深谷中的荊棘上走！

爲什麼他有這般的苦悶呢？也是因爲他深受着悲哀而不能擺脫，甘心受悲哀的原故罷!?他能以藝術——詩，當爲生命，他曾在他的日記「去年的我」中說：「我把想着公布於世人的經過——三十一歲以前的——都寫在野火裏了，這也是一件快事。可惜詩的背景，誰看得透?大半都當瞎話看啊!」並且他自作詩以來，直到如今，時時受不相干的侮辱。他來信曾說：「他們提到就笑，向我笑；在操場散步，有學生在背後笑說：「詩人!謝采江。」這是令人肉疼的嘲弄，然而我不怕，心裡說：「滾開吧，石頭!」他說：「中國人的特性是專管人家的事，總要讓人家跟自己走，不怕自己走的是十八層地獄中的道路，萬惡的不知恥的專制思想啊!」近來聽說仍然有嘲笑的聲浪，有的學生在他背後嚷着「花兒，草兒。」他說：「這是辱罵?是詛呪?無識的青年人，意欲阻止我的進程，然而方法太卑賤了，力量太小了。」[illegible]冀仁六十三首告訴嘲笑他的人們：

嘲笑的波濤，擋不住望燈塔猛進的航船，滾開吧，跟着我蹣蹩的人們

—6—

！

這是他猛進的精神，以藝術爲生命的猛進的精神。他曾說：「對於成功的嫉恨，對於失敗的譏笑，這是世人的習性，新的道路只是創着走，不必管那些無味的蠢動！」

這迷困在蒼茫的荒山裏歷唱的作者的荒山野唱，是他的第三部詩集了！在這部詩集裏，我們可以看出作者思想之進展，情感之流變；並且他的藝術・詩的風調，也起了大變化，到了本集彈簧上，完全變得幾乎令人認不清還是他的詩了。這是什麼原故呢？作者自己說：「這只是因爲我的痛苦，病的痛苦，家庭的痛苦；窘急，難望成功的窘急，自己的藝術難望進步的窘急，逼得我叫苦。」我們看彈簧上的詩，有了這種調子，如：

二五

把眼淚變成血，噴向圍着我笑的人們。

二六

他若不殺你了，打你也算恩典，是不是？怯懦者！

二七

誰說不怕死呢？無處可歸的人，只好投向沙場去了！

……

這是多麼慷慨的調子？響亮的調子？有力的調子？！夢痕中倘歌着那「我願意冷面向人嗎？溫和氣都變作胸中的淚了！「喜歡的面目讓人看，憂愁的心事向誰訴？」「只是自己咀嚼吧，說不出的苦滋味。」以及夢痕中的一四，二〇，三一，四四，六七，……全帶着點不得已而膽怯的哀吟，壓在悲哀之境中，深嚐着人生的苦悶，戰慄着，掙扎着，撫着自己的不堪重撫的傷痕，而表現發洩在詩裏。所以夢痕中的詩的表現，可以說是受了以上的那些苦悶而含淚微笑的去表現就是了。現在的詩則不然，我記得他發出「我現在由失望中又生出奮鬥心來，與其向後退處處遇見埋伏，那如向前去探一下險呢？橫竪是一個死啊！」的標語後，他的詩的表現便是逆鋒而上去了！從前的詩也可以說是任其摧殘而歌，現在的詩不管境遇苦悶的怎樣，自己起來，舉起寶刀來了，不但是不任環境殺了自己，而且要照了牠們砍下去了；從前的詩，是泉水的嗚咽，平靜而悲泣的流了下去，現在的詩帶了狂怒而猛烈的氣象了！是決口的海浪排天了！巨響了！從前的詩，只是怯夫，現在的詩儼然是一個警世的英雄了！若按方法上表現的形式上說，前者是自然，後者是浪漫。不但如此，如從前的詩「傍着桃花立一時，也是幸福，但蜂兒蝶兒不嫉妬我嗎？」這本是一首美妙的抒情詩了，但這次的詩上變了方法寫：「站在桃樹下，望着蜂兒們和花兒接吻，我是一個最蠢的動物。」這是多深刻的寫法，多麼痛快的調子，我們拿來比一比。再如「親愛的，快來接吻吧，靈魂要從唇邊跑去了」的詩和彈簧上三十七：

喂！輕輕的，留點神——接吻，別碰破了鬼臉兒！

相比，不但歌詠的調子變了，就連用字上全變了！我們看他這次的詩中，字裏全帶着一種强橫而熱烈的氣象，如把眼淚變成血，噴向的「噴」字，和別碰破鬼臉兒的「碰」字，全是極生動而利害的字眼，牠的好處，是在能把極柔弱的東西寫到極硬如鐵的地步。如說「眼淚」，讓牠變成「血」、接着用個「噴」字，並且還是噴向「笑」的人們。在這彈簧上的詩裏，作者實在是從怯懦的坑裏爬起，向着奮鬥的火陣跑去了！

我談在這裏，便想着實的探求他的思想了！采江先生是能深嚐悲哀，而最愛藝術的。他常在想像中求快樂，他願意遠望迷濛遠村的樹、天邊的青山，他自己也曾說：「藝術是不能一目瞭然的，自藝術以至於一切，凡是美的東西罷，看得太清楚了，便失了藝術的價值，倒易破壞牠的好處，山之所以清秀，也因爲是遠眺，村樹迷濛中的美趣，也是因爲在遠處看着，在遠處看不見缺陷，只見了美的一方面，並且在想像中還可以加上些牠沒有的美的成分進去。」作者的文藝思想便從此出發。夢痕中一二一首：

聽人講着遠方的湖山，
我便夢魂顛倒；
眞的去遊吧？
也不必！

凡是美的東西，全是模糊的，模糊的才是整個的，統一的，藝術趣味的眞實，就在「可望而不可及」；藝術的眞生命是情感之移入而非占有。

你在大街上走路，一個女子在你面前過去，你覺得她很美。這個「覺得很美」之中便含蓄着很深的藝術的趣味。假如說，你別走，這個女子同你結婚咧，並且就要跟着你上你的家去，這時你再一細看她，不是臉子黑咧，就是脚歪咧，再不然就是她的性情不好咧，從此種種缺點全生出來。 試看野火一四：

戀愛何必實現呢？

想像的情人永遠不會老的！

〈野火〉一一

失意的青年人！

不要煩惱；

你在她不許可的期間，

細嚐愛的滋味吧！

〈夢痕〉二三

姑娘啊！

我願意只在夢中見你！

〈夢痕〉七七

—12—

她不歸爲你所有，
才是永久的戀愛者呢！
孤獨的青年知道嗎？

以及本集中的不回頭，我知道，純化了，電絲，讀了這些詩，我們便可以得了作者一貫的中心思想。但作者最近來信中說：「……今年我加倍頹唐，彈簧上故作强硬語，也不過是外强中乾啊！」我們讀：

彈簧上一

希望着，希望着，理想的人兒，終是理想的人兒啊！

十六

是誰扣開我的心門又走了？春之天使，就這樣的開玩笑！

三十六

那對男女怎會不該屬呢？戀愛本來是最招嫉妬的！

—13—

這是多緊縮的調兒，又是怎樣的變調？作者說：「………這部詩集裏有鮮花，有野草，有金星，有砂礫，有西施，有嫫母，有陰雲中的電光，有湘繡上的破線。朋友們！這有什麼方法呢？我的心境，生活正是如此矛盾，煩擾啊！西風緊了，蟲聲起了，望着吞日的遠山，彷徨在歧路的交點！」由此更可見他究竟是一個強烈的生命的熱力的追求者！最末的一首詩，又唱出：

自由的飛去吧，——天邊的孤雁！

我也遙遙的祝禱：「采江先生，你自由的飛去吧！」

在這部詩集中的三大部份，第一部稱之爲沉悶，第二部稱之爲活躍，第三部稱之爲爆發。也可以說第一部是灰色的，第二部是紛色的，第三部是血色的。總起說，第一部似煙氣迷漫，第二部則亮光一閃，第三部就起了火了！

以上是縱論關于采江先生的生活及其思想，到此便宣布終止了！這一來是因爲篇幅的關係，二來我的話說到這裏，介紹采江先生的生活及其思想也算盡了一份責！任再者呢？作者的思想的進展，一年之中有這等迅速，至於將來呢？那更非我這篇短文所能顧到的了。我想，采江先生的生活及其思想自有他的詩在那裏作証。以下再要說的呢？就是簡略說一說作者的藝術及我們幾個人藝術的主張了。

作者是極講求用字的，他爲一個字的達意之妙不妙，美不美，曾下過許多苦心追求，這也無須我例舉，況且中外多詩家，讀時能隨時隨處去發現。就是例舉，也待將來另有作者專論作詩用字的說明呢！

采江先生的詩每首全帶着歌詠的調子（直接的口氣）不擺一個死字，他說：「詩是吟出來的。」因此，他的詩中有自然流露的音節。如汎影，彈簧上五，都可爲例。

以外便是能用符號象徵詩的意境，如彈簧上一八：

什麼時候回來？漂去的花，飛去的鳥，落去的星，脫身遠去的孤雲——

——（以——號表示孤雲的遠去）

彈簧上　七一

千萬棵碧柳在風中亂舞，湛黑的小燕飛上飛下，雲來了，雨也來了……

……（以……表示雨的下落。）

禾江先生的詩中，我們可以看出他的藝術的簡鍊，不但是善用具體的描寫，並且他的藝術是最經濟的，用幾個字，便表現出一種極濃烈的情感，一種生命的活躍，力强，瀟洒，純是即興的表現，所以富詩的趣味。中國有寫意，西洋稱漫畫，新藝術中所謂象徵，都是取出寫出來的部份少，但是因此可以想見全體，我們幾個人，在文藝上稱之為『漫畫式的文藝。』不要支蔓的細膩描寫，無益的瑣碎材料，本詩集中的：老說書的　新兵　傷兵　她死了打都是最好的例。如老說書的，最末三句：

他抬頭看了看左右的河岸，

臉上一點喜怒也不顯，

仍低下頭去說書。

便把老說書的的無處可歸的凄凉的情形，令人更深刻而力强的感到以上的一般人對于不幸者的冷淡了。再如新兵中：

我眼前直冒火——

見塵土起來，是一片紅光。

這是當中的兩句，不但是象徵出戰爭的殺人流血，並且文字上有彩色的渲染。只含蓄的點出要緊的部份，而讓讀者自己悟得其他部份，這便是「意在言外」，「弦外有音」，而產出神來的妙筆，所以含蓄豐富，而詩意更覺深沉。漫畫式文藝之真價，就在能力强的寫出自然與人生的真生命。

作者在悲哀苦悶的環境中，叫苦聲喊出後，他的藝術——詩的特色愈是

—17—

顯著，愈是富有漫畫的趣味。說英國藝術的話，正好說在這裏，就是——呆江先生的藝術除去這『漫畫趣味』，即失却了生命的一半。

我再引日本廚川白村幾句話作說明，他在爲藝術的漫畫中說：

『大笑的陰影裏，有着大的悲。不是大哭的人，也不能大笑。所以描寫滑稽的作者和畫家之中，自古以來，極其苦悶憂愁的人，憤世厭生的人就不少。

『倘不是笑裏有淚，有義憤，有公憤，而且銳敏的深刻痛烈的對于人生的觀照，則稱爲漫畫這一種藝術，是不能成功的，因爲滑稽不過是包着那銳利的鋒鋩的外皮的緣故。見了漫畫風的作品，而僅以一笑了之者，全是不懂得眞的藝術的人們。

(根據魯迅譯：出了象牙之塔)

我們再看 彈簧上九

孤另另的星兒又隱去了，黑暗，沉默，哭是沒用的，放大聲笑啊！放大聲笑啊！

二十八

瘋狂的奔走吧，沙漠中起來，沙漠中臥下。

四十九

那不受約束的馬，把主人顛下來了，摔的眞響啊！

我們讀了後，不感得這種「放大聲笑的聲中有淚，有義憤，公憤」嗎？不也知道了在苦悶叫聲中的人的滑稽作品中，包着銳利的銳鋒，而成功了這漫畫式文藝作風的作品嗎？

總之，這種作風，是作者的特色，也可以說是我國北方的鄉土文學；因爲北方文學是慷慨悲歌，南方文學是纏綿悱惻；北方文學粗豪，南方文學溫柔；北方文學似英雄，南方文學似美人。徵諸以往，北方文學如敕勒歌，折楊柳，南方文學則如子夜歌，華山畿。

文學是不羈的情感之奔放，藝術原不是能劃一的東西，有個別的特色，藝術才能有眞生命的活躍。這種「個別的特色」我覺在現在我國文壇上，表現得不濃，不活躍，因爲我們幾個是北方人，藝術自然是粗豪的，不過倘能力强的表現出自然與人生的眞生命。在我私見曾覺得無論那方面，能走到極端，短處便是特長，若在藝術中講調和，必讓英雄成爲美人，這豈不是胡鬧——「魯智深醉入銷金帳，無論怎樣做作，也說不出低聲細氣的溫柔話!!」

所以本詩集是要讀者在壓抑的呼喊之後，去深味那難以哭訴的苦悶。我們宣言：

漫畫式的文藝——

形式簡潔單純，內容豐富，深沉。

捉住要害處，寫到適可的程度。

力强的活躍自然與人生的眞生命。

一九二六，八，二五，張秀中

心的搖籃

殘白的日兒
臥在淡灰的雲裡，
誰推蕩這搖籃？
輕輕的，慢慢的，
讓他安睡到地下去！

— 2 —

生命

生命的道路本是黑暗的，
我們的心靈就像一盞燈，
努力吧！
走到那里，
那里會亮的。

贈青年人

青年人！
愼重些——
愛念起處，
便是地獄。

她因爲怕你憔悴，
只是：
　淡容素服、
　不笑不語。

你不知道？
　嗔怒强於接吻，
　擁抱不如跑開！

女伶的思索

台下俱是我的情人兒啊，

—4—

還有多麼幸福！
他們都獻着乞憐的樣子，
我那能不笑？
他們全露出戲弄的態度，
我如何不惱？
照顧了一個，冷落了衆位，
眞是左右作人難！

隔膜

朋友用來攻擊我的，
是我告訴他的「身世苦況」，
但同情的諒解呢？

人類終久是隔膜的喲！

驕傲

脇下的巾兒飄着，
頭前的髮兒擺着，
高視闊步的走過了
憔悴鵠立的少年前，
這是怎樣的一種驕傲啊！

可憐

嬌媚的女伶啊！
多向台下瞟幾眼罷，

那些仰頭張嘴的看客們，
全如待哺的嬰兒——
專等飲你這笑容的乳汁呢！

祈禱

上帝！
把世界所有的房頂全掀開，
細看一看你那孝子賢孫們
黑夜白天的竟是幹得
「什麼事」啊！

寄綠尼

我每逢想起你那——
　停眸不語，
　低頭碎步，
　寨簾微笑，
　　便情願犧牲一切……

　　她的話

她曾囑咐我說：
「桃花開的時候家來，
　月亮圓的時候家來！」
　　～～～～
她曾責備我說：

—8—

「暑假年假還這樣愛出去，
　那如不家來呢？」

她曾詰問我說：
「你捨得半年半年的丟下我，
　現在你家來了，
我若住幾天娘家去行不？」

詩人

詩人的柔情和水一樣，
　要灌注到世界上
　　人們的心田中！

詩人的熱心如火一樣，
　要燃燒在社會中
　人們的情苗上！

詩人是一個綠衣使者，
要把「自然」密密封上的「情書」
　遞給人類看。

請求

孩子們——吾的神聖！
　你們跑吧——

撒開腿跑吧，
跑得越自由，
我的心機轉得越快！
～～～～～
孩子們——吾的神聖！
你們哭吧——
放大聲哭吧，
哭得越沈痛，
我的心泉流得越湧！
～～～～～
孩子們——吾的神聖！
你們笑吧——

拍着手笑吧，
笑得越熱鬧，
我的心花開得越大！

彈琴

不通樂理的彈琴者喲！
你還煩惱？
那澀滯支離的調子，
琴兒正在訴苦呢！

晚車上

暮氣從天邊慢慢侵來……
沒了山村，

—12—

掩去荒林，
眼前覺得黑暗了，
遠方却顯出點點燈火。

生活

「眞可惡！」
「眞可惡！」
大家互相嫉恨着。
～～～～～～
「解氣喲！」
「解氣喲！」
大家互相蹂躪着。
～～～～～～

「難受呵！」
「難受呵！」
大家互相呼喊着。
～～～～～～
「沒有法！」
「沒有法！」
大家互相忍耐着。
～～～～～～
「自求多福」的人們哪！
就這樣生活下去嗎？

紀念

我碰了兩回頭，
她擠了我兩次，
我又向她作了一個大揖，
他紅了臉，
我也覺着不好意思的。
　這是他的爹媽沒在家，
　　我去拜年的事：
啊，二十年前
　有意而未定婚的兩個人，
　　還有這一日！

擔心

（一）

汗珠兒滿面，
胸脯一起一落的，
還是不住的耍着刀槍，
旋風似的舞轉，
逞强的女伶啊！
性命就葬在看客們的鬨笑中嗎？

（二）

半夜了，
鑼鼓敲得這樣緊，
知道她又旋轉在舞台上——
和看客們的眼光奮鬥呢！

—16—

老說書的

趕廟的大船上，
載滿了男女老少的人們。
衆人搖動中，
有一個六七十歲的說書的。

～～～

桅杆直立着，
他在旁邊彎曲着。
鬚髮參白，
骨瘦如柴，
茄子似的頭

掛在樹枝似的身上。

鼕鼕的敲鼓，

拍拍的打鐵片，

破鑼似的唱聲喊出後——

還不住的登卜冷登的

假裝彈弦子。

人們閧的一聲

似嘲笑的說：

「你看他這個忙啊！」

他抬頭看了看左右的河岸

臉上一點喜怒也不顯——

又低下頭去說書。

過家家

這是午後了，
房山下幾個男女小孩兒，
搯手蹋脚，嘁嘁喳喳的
商量過家家。
大人呢？在屋中睡着，
將落的日頭向他們笑了。

我的路程

昏黑的夜間，
兩旁山峯上——虎嘯猿啼，

我渾身戰慄——
望着前邊明滅的星兒，
在深谷中的荆棘上走●

遙寄

天邊的孤星啊！
你是靈宇中幻想的釘兒，
容我把愛情的影絲
暫時掛在上頭吧！

柳絮

片片的飛，
團團的滾，

白雪似的花兒呀！
你赶上春光了沒有？

對鏡

種種傷心事，
那能瞞了人？
頭上的髮，
一根一根的白了！

安慰

自然對着憔悴的詩人說：
「傻孩子，

投到懷裡來吧，
我是你的母親！」

～～～～～～

「走，跟我到曠野去，
和你那哥哥，弟弟，姐姐，妹妹，
行個久別重逢的相見禮——
花兒，草兒，鳥兒，獸兒，虫兒，魚兒！」

～～～～～～

「你們各處遊逛吧——
山，川，湖，海！
你們隨意玩耍吧——
風，雲，雷，雨！」

～～～～～～～

「好孩子，

別這樣的愁苦了，

你的伴侶，

就在左右前後哩！」

哭死者

四面的孩子們——男和女

圍着一個大墳哭，

震動天地，

墳裡的人只是垂目長眠！

～～～～～～～

他們的聲音不調和了——
　互相罵起來，
　罵够了——
仍然還是哭啊！
～～～～～～
日落了，
風起了，
草間的蛇出來了，
樹上的老梟叫了，
　孩子們轉身，擦眼，
　　向着村頭的燈火跑去……

讚詩

—24—

還是啊——
歌唱的雲？
飛翔的花？
香氣四射的鳥兒？
不，係心靈中流出來的一句詩！

詩人的墳墓

少女的微笑裡，
看見了詩人的墳墓，
墳墓上——
萬花齊放了！

孤

同人都散去了，
沈寂的樓中——
魯魯刷刷的雷和雨，
也是可喜的聲音了！

天空裏

潔白的月兒，
收歛了冷淡的光芒，
一片灰黑的雲彩抱住她，
四圍的星星
互相擠着眼兒……

秋虫

電燈下，
是秋蟲們的——
遊戲處，
火葬場，
牠們飛到這里——
跳舞，
歌唱，
死去！

一雙白鴿兒

中秋的清晨，一雙白色的小鴿，從天空飛過。只是款款的飛，遠了，遠了，我都望不見了，或許她們還正在飛呢！

她們雙宿雙飛，是和平的象徵，戀愛的天使，只要有這一對兒，就絕不至於地老天荒！

她們飛到什麼地方去—荒野，深林，山崖，海濱？要須小心獵人的網和彈，連一根羽毛也不傷損才好！

晚鴉

灰色的天空中，
鴉兒疾疾的飛回來；

—28—

這大約已忘了——
『明早將向那里去?』

綠尼想

雖然女壻小,
也願早嫁了,
——綠尼這樣想,
不肯說,
鬧得一身病。

不回頭

我始終不回頭,

後邊有兩個女郎，
她們低低的說，
嗤嗤的笑，
我聽不真說的什麼，
猜不透笑的什麼，
但心裏充滿了喜悅，
慢慢地走，
我始終不回頭。

春來了

春來了，
我只是笑迷迷的

一動也不動，
她用化開氷心的懷擁住我，
扶起柳腰的手撫摩我，
吹暈桃腮的唇吻着我，
我只是笑迷迷的
一動也不動。

怎麼還不來

殘紅的斜陽，
照到蔓草的荒原上，
我眼看着
一朵淡黃的小花兒落了瓣兒，

「蝶兒呢？
怎麼還不來！」

傷兵

一列車，一列車，一列車，
載來了這許多的傷兵！
軍醫院是不夠住的，
趕走了學生，
占據了學校。

～～～～～～

他們有的折了胳膊，
有的缺了腿，
破頭的也有，

瞎眼的也有，
　挂着木拐的，
　　爬的，
　扶着役兵的，
慘笑着，叫罵着。
　烏合的闖進了校門。
呵！這是誰以人命爲兒戲？
　打傷了這麽多好兄弟！
我們胆寒了！
　與飢狠惡虎作鄰居，
　知道什麽時候被吃了呢？

他們叫喊，他們罵街，
氣勢洶洶，
要拆房，又要跳牆。

〰〰〰

他們有的不知道敵人是誰的，
有的不知道主帥是誰的，
有的自當兵至開到前線
只得了幾十個銅子的，
原先作着「升官發財」的夢，
現在後悔了——
「殺人流血」，果爲誰來？
督軍麽？師長麽？

幾千萬人中出一個，
　活上二百年也不準輪到自已！

「大人！
　行好吧，發慈悲吧，
　給我快快挖出這胳膊上的子彈，
　眞疼啊，
大人！」兵士的央求。
「不忙，
　子彈在肉裡長不大，
明天見！」醫生的訕笑。

醫生把子彈挖出來，
讓死而復蘇的兵士看。
他用力的拿住，
送到嘴裡去咬，
「好可惡的東西啊！」
他一叫而氣絕。

～～～～

我們到野外去看吧，
鐵道旁，
成林的小木牌兒下，
俱是葬埋的兵士。
這認也認不清的亂葬崗，

清明日有誰來祭掃？
斜陽裡有誰來憑弔？

新兵

呵！這一大隊極狠狽的人，
　撲魯撲魯撲魯的走過去！
都穿着破爛的衣服——
　單的，袷的，棉的；
枯黃帶皺的臉上
　蒙着一層黑土；
左右偸看的眼睛
　慞惶中還有點害羞；

各人腦後全有一根小辮兒，
　打拉打拉的。
他們急急的往前走，
不肯停步，不肯回顧，
　好像是刹那間
　　就要走盡了人生的道路。
太陽底下，
　我看得發熱了，
　　眼前直冒火——
見塵土起來，是一片紅光，
　心裡戰慄着說：
　「殺人流血的象徵，

—38—

升官發財的預兆！」
耳旁却聽見男女老少們
似驚異又似歎息的說：
「新兵！新兵！」

良夜

在這樣沉沉的黑夜，
只有我們兩顆熱烈的心是亮的
彼此互照着；
手握着手，膝促着膝，
細語低聲的說已往的事，
哭着，笑着，

氣息交換着，
惺忪的作着如此甜美的夢——
看見 Venus和 Angel 跪在上帝前，
重複的禱告：
「沉沉的黑夜，
永久沈黑的良夜！」

我知道
她漂泊到那里去了？
是生，還是死？
那全不管；
我單知道，

—40—

確乎知道，
深深的知道——
我在世上，
她便活着；
我有心靈，
她便活在眼前；
——問旁的幹什麼？

信中的花兒

綠衣使者送來了
一件心靈的介紹品。
打開封皮，

落下一朵花；
抽出箋帖，
　落下兩朵花；
展讀第二頁，
　又落下一朵花；
我的眼神迎接不暇了！
　這樣美妙新奇的玩意兒，
是「天女」的賜與吧？

這四朵花兒：
　一朵是蘭花
　兩朵是桃花或杏花，

那一串穗狀的小黃花
　我不知道名子，
同是在書册中夾乾了的，
　芳香雖去，
　形色猶存，
花蕊兒紛紛的落到案頭，
令人有說不出的惋惜！

〰〰〰

是生命的象徵吧——
這幾朵信中的花兒？
　蘭花的清幽，
　桃杏的粉潤，

小黃花兒的玲瓏，
我的可愛的生命喲！
她專等看你那迎春含笑的
燦爛的花呢！

～～～～～～

把花兒輕輕的包上，
雙手漫漫的捧起，
搠着金鋼石似的誠心，
跪在 Muse 的座前，
再三的禱告：
「保佑我！保佑我！
思想要海似的深，

—44—

情感要雲似的富，
精神高超潔淨要如月光，
和藹的，激揚的，
唱出母親催眠似的歌，
雞兒報曉似的歌，
擴散着福音，
祝福着人類，
好不負「天女」的賜與！」

純化了

深夜裡，
我自己沉默的祈禱：

心靈！
純化了吧！純化了吧！
她的衷情，
濃霧似的包圍着你，
甘露似的蘇潤着你，
不純化了，
　怎對得起
　　她那惠然的眷顧！」

夜更深了，
我輕拭着眼淚祈禱：
「心靈！：

純化了吧！純化了吧！
道路遙隔，
精神已通，
萬一將來有相見的機會呢，
好拜謁我那
菩薩似的人兒！」

～～～～

天將明了，
我微笑了，再作最後的祈禱：
「心靈！
純化了吧！純化了吧！
天上的雲，

何必變作地下的雨？
我們不希望緊緊的摟抱，
　不希望親親的接吻，
　更不希望…………
只是純化了吧，
　爲祝她的幸福，
只是純化了吧！」

夢

夢中也不自由啊！
　最怕的是狗，
　　却常常的碰上牠！

夢中也不自由啊！
將要攫住少女了，
又變成了可怕的先生！

什麼時候才作這樣的夢？
波濤浩渺的海上，
同白鷗任意的飛舞！

她死了

她是死了，瞎眼的，貧窮的老婦人被男人推到井裡去淹死的。原先想穿也穿不上的藍褂子青鞋，如今旁人給她換上了。在井口旁邊爬着，張着兩臂，臉向下，似乎要與大地作永久的接吻。

一粒飯，一布絲也不和人爭了，從此她把世界上一切都讓給活人；但也把活人最後的結局，很忠實的告訴出來。

抱孩子的婦人，提鳥籠的男子，老的少的男男女女参差不齊的圍着，你看我，我看你的圍着，默然無聲的圍着她。

打

看吧，聽吧，

宛轉在擰眉瞪眼的男子的黑拳下，放大聲喊着「打吧，讓你打够了，我不哭」的披頭散髮的婦人啊！

神聖

神聖啊！神聖啊！

你摟着我，我摟着你，
廣宇悠宙中，唯我們獨尊。

～～～～～～

細細的審視吧，
我心湖中只有你的影子，
你心湖中只有我的影子。

～～～～～～

慢慢的尋思吧，
你猜我影子裏的啞謎，
我猜你影子裡的啞謎。

～～～～～～

心湖裏的影子合一了，

前邊的光明之路上
閃出那可愛的安琪兒，
這是猜透了啞謎的賞賜！

～～～～～～

神聖呵！神聖呵！
你摟着我，我摟着你，
廣宇悠宙中，唯我們獨尊。

你有權力

你有權力征服我，
我專等投降呢；
但絕不是个人難防的險詐，

——落入陷阱那能心服？
只要和藹的向我一笑就够了，
　有這樣征服我的權力，
　　你不用！

～～～～～～

你有權力征服我，
　我專等投降呢；
但絕不是令人迷惑的金錢，
——走進疑陣那能心服？
只要輕微的撫我一下就够了，
　有這樣征服我的權力，
　　你不用！

你有權力征服我，
　我專等投降呢；
但絕不是令人發抖的威勢，
　——看見魔鬼那能心服？
只要一滴淚濺在我襟上就够了，
　有這樣征服我的權力，
　　你不用！
～～～～～
你有權力征服我，
　我專等投降呢；
但絕不是令人喪胆的槍砲，

—54—

——到了殺場那能心服？
只要給我溫柔的一吻就够了，
有這樣征服我的權力，
你不用！
睡吧，支那人！
睡吧，支那人！
安安穩穩的睡。
熟睡，酣睡，
什麽都可以半途變卦，
睡覺是必得鑽黑到底的，
只要地球不崩裂……

睡覺有多大幸福，
可以夢見心愛的人——
童男也好，
童女也好。
可以到天國去遊玩——
或入桃花源，
或登天台山。
倘若不高興隱遁，
一眨眼也能變成宰相……
～～～～
臭蟲咬不知道，
蚊子叮不知道，

—56—

雖然有時候把大腿抓破了，
因此倒許夢見血淋淋的肘子，
笑迷迷的叭噠叭噠嘴……

～～～～～

强盗來了也不要緊，
他搶掠你的東西——
你便夢見看武戲；
他奸淫你的姐妹——
你便夢見看春宮；
這是多樂呀！
倘若他們不死心，
再把你的腦袋切下來，

那末你就夢見宰豬的——
　出凢！…………

　　　　　　　　～～～

睡吧，支那人！
安安穩穩的睡，
熟睡，酣睡，
房子外邊
　嗚嗚颳着風，
呼呼起着火，
這並不危險，
　似乎是猛烈點的催眠歌。
千萬不要醒，

—83—

頂多只翻翻身，
罵旁人一聲「不覺悟，他媽的！」
仍然夠……夠……夠……

蚊子

嗡……嗡……嗡……
呵！唱着戀愛的歌兒奔來了，
輕巧俊秀般熱懇切的蚊子們。
不看眼色便接吻，
碰着那塊兒就是那塊兒！

咳！未免太親熱了，
　怎麼一口一口不住的嘔血？
使盡力量也沒打死一個，
　牠們又唱着失戀的歌兒飛去了！
　　哼……哼……哼……

望雲歌

（一）

飄飄欲仙的雲兒啊！
我是一個焦渴疲倦的遠行人。
展開你的翅兒遮住太陽，
落下你的影兒到我身上！

（二）

飄飄欲仙的雲兒啊！
我若是個鳥兒，
必飛到你的掌上；
我若是陣風兒，
必拽住你的裙緣；
我若是個星兒呢，

我離開九霄，
落，落，落……
落在你的懷裏！

致詞

微醉的春意
綠透了柳枝，
知道不？愛人！

春風

春日多大風，
你不必嗔怪；
美妙可愛的姑娘，
不也是好惱怒嗎？
笑了

她那明星似的眼
往旁邊一瞟，
好像有了什麼新發現——
一抿嘴兒笑了。

漫歌

（一）

剛出嫁，
回家去，
想起新女婿，
抱住小兄弟。

（二）

肉蟲兒，
赤裸裸；
草葉上，
緊纏着；
輕雲遮太陽，
微風吹花香。

春水

冷默的，
柔勁的，
美人傳情似的
汪洋的，

緩慢的，
流去的春水喲！

疑問

紛紛的波浪兒，
粼粼然無停止，
愛人啊！我親你：
「是春水撲着春風？
抑春風擁起春水？」

小心

淡雲微雨，

養花天氣；
問花幾時發？
花發春便去！

汎影

春水汎汎，
投影波間，
渙渙，
舒捲；
潺潺，
流連；
遠，遠，遠，

—67—

風兒作帆，
浪兒當船，
游游，
蕩蕩，
直到碧雲邊。

微歌

（一）

偷偷的走了？
他正微笑着作夢呢！

（二）

柳絲罩住了窗戶，

我是情網中的鳥兒了！

寄語

愛人啊！
你是柔波中沐浴的白鷗，
我是香風裡飛舞的粉蝶。

鴉兒

鴉兒啣着樹枝回來了，
越離巢近越飛的快呀！

電絲

電絲正在振動呢，
——蘇蘇蘇蘇……………
表到合極時的快活呀！

病中

看書麼？眼疼；
談話麼？咳嗽；
昏沉沉的臥着，
不禱告我的病早去，
只盼望她的信快來！

可怕

冷落了，斷絕了，
往日相愛的痕跡，
變成切骨的創傷，
不敢回憶，
那堪細認！

心

心似一個赤裸裸的小孩兒，
他不能離開安舒甜美的搖籃，
——情人兒的溫存。

飛入

啊！
那一羣雪白的鴿兒，
飛入灰黑的雲裡去了！
愛人
愛人！
你的心潮總是一起一落的，
我的靈魂
便似隨着波浪上下的船兒！

唱
曾經發過愛人的歌兒
——那忍獨唱！

—72—

望着月兒徘徊ㄉㄜ，
聽着笛兒流淚ㄉㄜ，
她呢？……她呢？……

秋之夜

打開窗子了，
爲歡迎淸爽的風兒，
便甘受小蟲兒們的騷擾，
——秋之夜！

宿約

愛人！愛人！
那日——牢記取：

我們拋掉一切，
携手狂奔去——
到荒莽的山野中，
讓白沸沸的湧泉
祝我們永久安息！

—74—

彈簧上

人兒止不住的跳，
聲兒止不住的叫，
是誰玩皮的總撥動那彈簧鍮！

—76—

一

希望着，希望着，理想的人兒，終是理想的人兒啊！

二

輕紗似的，微絲似的，縈繞在我的心頭的，拂也拂不去！

三

世界上也許有愛？——電光一閃，就跟來可怕的雷聲！

四

有淚不許流，有淚不許流，淚再流盡了，心中就更乾燥咧！

五

來往的脚步聲，輕的，重的，快的，慢的，坷坷絆絆的，千萬不要在我的門前停住，我什麼信息都怕啊！

六

荒原裏絕留不住蝴蝶，你去吧，自由的去吧，不用低眉，不用回頭。

七

前後的夢兒都不必說，睜開眼看看傷痕，只能撫摩着笑。

八

綠柳枝外，瀰漫着紫氣兒，那是雲？是霞？……是醉人的春意！

九

孤另另的星兒又隱去了，黑暗，沈默，哭是沒用的，放大聲笑啊！放大聲笑啊！

十

風啊！吹開那月闌，世界上不當有勉强的愛！

十一

投到爐中的炭，才冒出可愛的紅光；——咳！無勇氣的我啊！

十二

紫羅蘭似的香，紫葡萄似的甜，紫雲籠住的夢兒那里去了？

十三

這樣山重水復的道路，也是不好找伴侶，單獨的走吧，不許愁！

十四

桃色的春又來了，歸去的時候啊——滿地是花片！

十五

朋友！扔了那枝枯草，秋風裡，想不起他童年的花朵！

十六

是誰扣開我的心門又走了？春之天使，就這樣的開玩笑！

十七

夢中點着的燈兒，醒來就吹滅了；——無處安排的心神啊！

十八

什麼時候囘來？漂去的花，飛去的鳥，落去的星，脫身遠去的孤雲——

十九

再不要說纏綿的心緒了！花飛了，我依然在；月落了，我依然在。

二十

笑出去的聲音，還能收回嗎？掉下來的淚珠，還能拾起嗎？鏡中的我，赧然低頭了！

二十一

抓住個樹枝兒都不肯放鬆，可憐的將沉沒的人啊！

二十二

不必喜，也不必愁，譬如風前絮，捲作一團了，又散開了。

二十三

到處呻吟着，時時欷歔着，永不能強健的人！

二十四

放下筆吧，閉住口吧，殺氣騰騰的陣前，不容說，更不容寫。

二十五

把眼淚變成血，噴向圍着我笑的人們。

二十六

他若不殺你了，打你也算恩典，是不是？怯懦者！

二十七

誰說不怕死呢？無處可歸的人，只好投向沙場去了！

二十八

瘋狂的奔走吧，沙漠中起來，沙漠中臥下。

二十九

她既是安慰我們的，我們爲什麽欺騙她，玩弄她，鞭打她？記住，她是安慰我們的！

三十

微風將歇了，細雨要止了，青春的原野，可曾有過香的花朶，紅的花片？

三十一

我不留你，留你也無益，征鞍上早心馳千里了！

—84—

三十二

勸她不要哭的時候，還乘機會撫摸人家的臉！

三十三

摟住我，你那發抖的手；吻着我，你那微涼的唇；黑夜裏，我們望那有閃光的地方跑。

三十四

天使似的人兒都飛去了，把我鎖在黑洞似的寂寞裏！

三十五

我們挖，我們掘，掘那萬年深埋的墓道；裏邊有白的骨，碧的血，永未見過天日的紅寶石似的心！

三十六

那對男女怎麼會不該駡呢，戀愛本來是最招嫉妒的！

三十七

喂！輕輕的，留點神—接吻，別碰破了鬼臉兒！

三十八

把愛之門鎖上，把愛之門鎖上，裏邊停下一口小小的靈柩！

三十九

站在桃樹下，望着蜂兒們和花兒接吻，我是一個最蠢的動物。

四十

蜂兒只顧吸蜜了，花瓣兒落下去牠也不管！

四十一

睜大了眼望着，木樁似的立在這里望着吧，幸福的光兒，越閃越遠了！

四十二

還呆着嗎？就是作奴隸的把戲也該預備預備了；——怎麼樣笑，怎麼樣跪下。

四十三

這樣血肉橫飛的陣前，要找住敵人的頭，再來哭我們的死者！

四十四

不受節制的心，只管跟着那片白雲飛，她是那樣的孤，又那樣的高！

四十五

春花開了，秋葉落了，詩人擱筆吧，一生的歲月，禁得起幾番吟咏！

四十六

去吧，不是不服嗎？——她半笑着這樣詰問時，我便哭了！

四十七

青年的男女！要把敵人的血，來染結婚的花！

四十八

我們攜了手，笑着奔到陣前，在殺聲雷動，劍光出沒中接一個吻，那有多末酣暢，甜美！

四十九

那不受約束的馬，把主人顛下來了，摔的眞響啊！

五十

挨打倒咬着牙，朋友！這是爲誰使力呢？

五十一

彼此摟着若不能愛如一個人啊，那還是離開好！

五十二

用顯微鏡照一照愛人，到底那個毛孔裡藏着我的靈魂呢？

五十三

臨別的握手是最無力的，誰還挽得住誰！

五十四

達觀吧，天地似乎個大飯桶，人們便是上邊爬來爬去的蒼蠅。

五十五

要笑着推出了敵人，要含着淚摟住愛者！

五十六

不見想人家，見了又怕人家，連一句話都不敢和人家說，單是偷偷的看人家。

五十七

這時計如同我的心，每晚上裝在她贈的情綢似的表袋裡。

五十八

酒精瓶似的社會，昆蟲似的人們，昆蟲扔在酒精裡，等着吧，漫漫的痲醉了！

五十九

愛人！家庭佔有我的肉體，社會要去我的勞力，就是這顆赤裸裸的心捧給你吧！

六十

到處是討厭的臉，可怕的眼，單等我們走錯了路，在那里苦笑呢。

六十一

—92—

要先殺掉你的情敵，然後再歉臥到愛人的懷裡！

六十二

不是「禮尙往來」嗎？向那沒有淚泉的人們，只應該高聲的笑！

六十三

嘲笑的波濤，擋不住望燈塔猛進的航船，滾開吧，跟着我嗡嗡的人們！

六十四

小園中的花兒自開自卸吧，牆外的行人呢？走遠了！

六十五

世界就如一個屠宰場，模板上，我們看那肉塊兒的跳動……………

六十六

心脉脉，胆怯怯，隔窗偸看的戀愛者眞可笑啊！

六十七

肥胖的猪兒，想着主人要養他老了，這也許是一個甜美的夢！

六十八

你是造物小兒嗎？赶快，把這一團熱烘烘的愛情拿了去，同時也解開捆着我的繩索！

—94—

六十九

四下的泉水噴射着，好一壁有靈氣的危峯！

七十

誰高貴？誰卑汚？出沒在上帝眼前的，那個不是滑稽的怪物？

七十一

千萬棵碧柳在風中亂舞，漆黑的小燕飛上飛下，雲來了，雨也來了…………

七十二

霜兒吻紅了樹葉，風兒便把牠抱下枝頭，秋是這樣的溫柔啊！

七十三

大胆的掀一掀這金碧輝煌的社會之網，呀！下邊是些剝了皮的，粉紅色的，蠕蠕的東西！

七十四

市外的簫聲，細得聽不着了，這是無力的留戀？是斬截的逃脫？

七十五

不容人轉脚，總拉人奔上無盡的大道，而又不與人同老的時光啊！

七十六

酒和肉，在臨刑的囚徒口中，才咀嚼出人生的滋味。

七十七

大家都暗地裏預備作劊子手了，見面還互相笑笑！

七十八

溫柔的摟好你的愛人，不要搖動啊，他正凝想別人的妻子呢！

七十九

青春的姑娘，立起身來，就整整髻，振振衣，總忘不了自己似乎一朵鮮花兒。

八十

自由的飛去吧，——天邊的孤雁！

一九二六，七，二十八，脫稿。

此紙專為徵求讀者讀後的感想及批評而設，凡公允而懇切的批評，無論贊成與反對，一致歡迎。稿件逕寄北京沙灘三十二號海音書局轉交

附則

1. 讀者的批評，必用此紙繕清寄下，方為有效。
2. 將來稿件集多，於本書再版時，附印書後。或印單行本出版，凡投稿者均分贈一本。
3. 遇有優越稿件，經本書著者披閱後，即酌贈本局出版新書。

荒山野唱（全一冊）

定價四角

中華民國十五年十一月初版

北京東城沙灘三十二號

海音書局發行

花木蘭文化出版社聲明啓事

此次《民國文學珍稀文獻集成》出版，有賴各位作者家屬大力支持，慨然允贈版權，遂使這巨大的文化工程得以開展。我社全體同仁在此向各位致以誠摯的謝意！

由於民國作者人數眾多，年代久遠且戰火頻繁，許多作者已無從知其下落。我社傾全力尋找，遍訪各地，能夠找到的後人，得其親筆授權者，爲數甚寡。更多的情況是，因作者本人下落不明，連版權情況都無從知曉。

因此，我社鄭重聲明：

此叢書所錄專著，凡有在版權期內而未授權者，作者家屬可與我社聯繫，我社願奉送相關贈書50冊爲報酬，補簽授權協議。

叢書第一輯，版權不明作者名單如下：

李寶樑、朱采眞、黃俊、汪劍餘、ＣＦ女士（張近芬）、王秋心、王環心、謝采江、曼尼、歐陽蘭、陳勣、沙刹、卜弋雲、陳志莘。

望以上作者之家屬看到此通知後與我社聯繫。

聯繫信箱：hml@vip.163.com

花木蘭文化出版社

2016年春

不快意之歌

謝采江 著

海音書局（北京）一九二八年十二月出版。原書四十開。

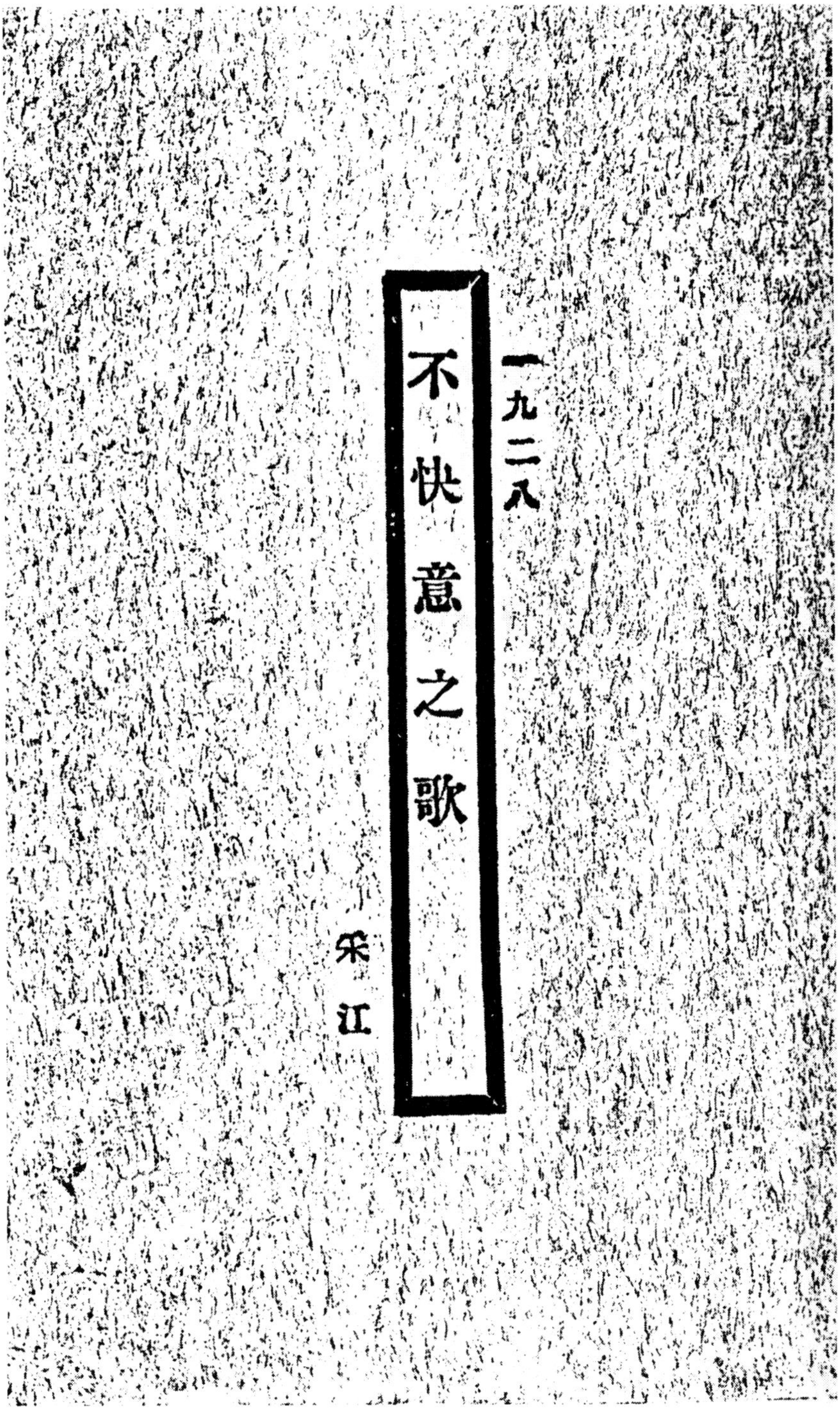
一九二八
不快意之歌
宋江

不快意之歌

1.

人是一個可大可小的動物，多狹的範也裝得下！

2.

白胖就是你的權威，好好保養吧，姑娘！

1

不快意之歌

3.

從愛人的懷裡逃去，纔成理想的情人！

4.

窮困失敗到什麼樣子，到底還有個我——至高無上的我啊！

2

不快意之歌

5.

圍着我的人都不是鏡子，在他們跟前照不出我自已。

6.

哭也要有個樣兒，蒙着臉，抽搐着身子，嗚嗚……

3

不快意之歌

7.

朋友！靜默的向前走，衝破那黑霧似的嘲笑！

8.

終久又落在泥濤裡了，——隨風飛舞的柳絮。

不快意之歌

9.

哭喊着要到手裡的糖，大塊兒的咽吧，孩子們！

10.

錦繡般的年華隨着塵風飛去了，單賸下個枯樹皮似的老人。

5

不快意之歌

11.

我生下來，父母說我是討賬的；我長大了，父母又向我討賬！

12.

臉上的筋肉眞隨意啊，說哭就哭，說笑就笑了。

不快意之歌

13.

墳窟裡的死屍們若轉動一下呢，那蛆蟲們一定要驚訝。

14.

紅豆兒似的臭蟲，全體充滿了人的血！

7

不快意之歌

15.

潔白的蝴蝶善於搖擺，一個大肚子螞蟻摟着牠。

16.

連自已的身體都不能帶走，一死去的人！

不快意之歌

17.

趕走了又飛回來，趕走了又飛回來，那專講親善的蠅子。

18.

四千餘年古國古，可笑哉，古，古，古，……！

9

不快意之歌

19.

都是不自由的東西啊！——他們終犯了死刑，你暫時當了劊子手。

20.

十分嚴肅的衣服，蓋住不知羞恥的肉體，外邊露着個大腦袋。

不快意之歌

21.

到一處，一處是地獄，那紛歧的遙遠的升天堂的道路！

22.

瞎子對着瞎叭叭的人們只是笑啊！

11

不快意之歌

23.

一個蒼蠅落在那位美人兒的臉上，她皺了皺眉，歪了歪嘴。

24.

賣出去的女孩子，黑夜裡又跑回來，啼哭着叫她娘的門。

不快意之歌

25.

那個少婦紅着臉向前扭，一個兵哼哼着小曲兒尾隨在後邊。

26.

仰着臉去受嘲笑——向人家訴苦的人！

13

27.

香灰似的老人，快快的跌落下去，讓那少年的生命，乾柴似的燃燒吧！

28.

什麼時候見到天日？陰濕黑暗中繁殖着的毒蟲們！

不快意之歌

29.

斯斯文文的睡吧，不要動彈啊！——是蚊子對人們的勸告。

30.

蜂蝶！與花片一同飛去——

15

不快意之歌

31.

瓜激！摔在地下咧，那個胖小子，他還不許旁人樂！

32.

蝴蝶只是遊於夢之國哟，翩翩的女郎却又捉住牠！

不快意之歌

33.

我不知怎麽着養我的病，也不知怎麽着對付我的愛人！

34.

千里外奔波到家中，還得安撫那靠在身旁啼哭的妻子！

17

35.

命運將終的秋蟲們，只有在黑夜裡呼伴侶，荒墳上哭死者。

36.

黑夜中孤獨的行路啊，又踏着一個軟而蠕動的東西！

不快意之歌

37.

笨人就不能成天才嗎？別忘了蝴蝶是蟲子變的！

38.

斜陽的柔光慢慢吻到荒墳上，似乎就不忍再往下落！

19

不快意之歌

39.

芥子大的憂愁都禁不起，跳蚤似的生命！

40.

是慈悲嗎？因爲她，藴藍下才養活着許多臭蟲！

不快意之歌

41.

那個多子的母親，領着一羣跳躍的小孩兒，沿門討飯！

42.

落下的花朵上，還有蜂兒來採蜜！

21

不快意之歌

43.

迷夢般的晚霞裡，飛來了幾點
游魂似的烏鴉……

44.

說什麼迷信不迷信，這又白又
胖的麵包就是人間的上帝，跪下
吧，小子！

不快意之歌

45.

始終沒覺到我是個大人，却已經有小孩子們向我叫爸爸了！

46.

病人的眼前開了盛宴了，鷄魚瓜果，他那樣也吃不下去。

不快意之歌

47.

白胖白胖的女人，頭上扣着個大飯鍋——常常浮現到眼前的可怕的影子啊！

48.

儼然是一個幽靈了——暗中彳亍的我！

不快意之歌

49.

時時同我握手的，是侮辱，不是愛人！

50.

大肚子飛蛾也在花間採蜜呢

那似乎是個自私的懶漢！

25

51.

無邊的大地上，我們勇敢的向前走吧，天都往後退了。

謝采江著

不快意之歌

實價一角

北京海音書局發行

東城景山東街東口外

1928年12月出版